D1061558

MURENA

DUFAUX - DELABY
MURENA
CHAPITRE NEUVIÈME
LES ÉPINES

COULEURS
SÉBASTIEN GÉRARD

DARGAUD
BENELUX

Vous voulez connaître la suite ?
Laissez-nous votre e-mail sur
www.dargaud.com/murena/alerte
pour être averti dès la sortie du prochain tome de Murena !

Certifié PEFC

Ce produit est issu
de forêts gérées
durablement et de
sources recyclées
et contrôlées.

PEFC

10-31-1800   pefc-france.org

www.dargaud.com

Et l'empereur dit...

Telle sera la Cité ! MA Cité.

La nouvelle Rome !

Celle qui renaîtra de ses cendres !

1

Ah !
Voici Pierre !
Cela fait un bon moment qu'il avait disparu !

Eh bien, où étais-tu passé, sage homme ?

Nous nous demandions ce que tu devenais.

Je comprends.
Mais les nouvelles sont inquiétantes.

Je compte me rendre à nouveau auprès de l'empereur. Avec une question bien précise : pourquoi, ces derniers jours, ses soldats emmènent-ils des juifs ? Pour les enfermer dans ses geôles ?...

Des juifs ?... J'ai entendu dire que l'impératrice aimait s'entourer des gens de ta race. Tes craintes sont sans doute infondées...

Je l'espère. L'empereur m'honore parfois de son amitié. Peut-être m'en apprendra-t-il plus...

Méfie-toi de son amitié.

Elle est à double face. Comme le dieu qui ricane alors que tu attendais un sourire (1)...

2

Son âme est rongée par le cynisme et l'amertume. Quel remède apporter à cela...?

Mmm... La maladie appelle parfois le remède.

Claudia ! Ne me dis pas que tu nous apportes de ce bon vin de chez Drusus !?

Il me semblait qu'il vous avait plu, la dernière fois...

Et bien entendu, Lucius est le premier servi ! C'est incroyable ! Mais comment fait-il...?

Elle n'a d'yeux que pour lui !

Tu es fatigué. Tu devrais te reposer...

Pas maintenant. Il me faut d'abord établir des plans de la ville. Des quartiers entiers sont à éviter, quand ils ne sont pas à abattre ! Alors que de nombreuses familles reviennent déjà sur place malgré l'insalubrité et le danger que représentent ces ruines qui menacent à tout moment de s'écrouler...

3

Le chantier est tellement vaste. Sans l'aide des pouvoirs publics, nous n'y arriverons jamais...

Tu veux dire, sans l'aide de l'empereur ?

L'empereur, oui...

Cette fatalité...

Inévitable à Rome !

Tu demandes à voir César !... Parce que tu penses qu'il peut te recevoir ?!

Il m'a déjà accueilli en toute amitié. Tu étais même présent, je crois.

C'est exact. Tu as même prononcé des mots auxquels je n'avais rien compris. Tu as parlé d'une épine que j'avais dans le cœur...

Une épine... Tiens, ça, c'est une bonne idée !

Je ne veux pas te faire perdre du temps. J'attendrai ici. L'empereur finira bien par passer...

Mmm...
Je dois le tenir à l'œil...
Il peut se montrer
persuasif !

Pssssttt !

!??

Ah ! C'est toi, vieille
canaille ! Mais où donc
étais-tu passé ?

Je m'enrichis...
Je m'enrichis... Rien de tel que
des ruines pour vous enrichir. Alors,
je n'arrête pas. Et justement...

... en parcourant la ville,
je suis tombé sur un ancien
gladiateur qui, sous l'emprise
de la boisson, raconte de
bien curieuses choses...

Vraiment ?

Eh bien, à l'entendre,
c'est lui qui aurait
provoqué l'incendie de
la ville en se battant
dans une taverne...

Quoi !!

Ce gladiateur, fais-le taire !
À n'importe quel prix !
Tu connais son nom ?

Heu...
Oui...

5

Il dit s'appeler Massam.

Es-tu certain de ce que tu avances ?... Tu risques ta tête à t'exposer ainsi.

Attends ! Ce n'est pas moi qui ai lancé la torche qui a mis le feu à la boutique ! C'est l'autre, celui que je combattais et que j'aurais broyé de mes mains si tout n'avait pas tourné autrement (2).

Et cet autre, c'est... ?

Un patricien du nom de Lucius Murena, un chien que César a justement banni de sa cour.

Lucius. L'homme qui m'a aidé à retrouver ma fille...

Ma douce et tendre Claudia...

Tu passes tes nuits, seul, à t'épuiser sur tes plans...

6

Je connais ce Lucius Murena !

Si je me rappelle bien, tu obéis aux ordres de l'impératrice...

Exact. J'ai eu le privilège de lui rendre quelques services...

... mais elle s'est toujours montrée ingrate à mon égard. Aussi vais-je m'y prendre autrement. Tu sais, moi, l'étrange appétit qu'elle témoigne pour tous ces juifs qui l'entourent...

C'est eux que l'on accuse d'avoir mis le feu à Rome.

Jusqu'à ce que je révèle ce qui s'est vraiment passé. Mais... contre beaucoup d'or, cette fois. Poppée ne demandera pas mieux que de trouver un moyen d'innocenter ses nouveaux amis ...

Oui... Il faut un coupable. Murena ou les juifs.

Je dois tuer cet homme.

Je l'ai toujours su. C'est sur les ruines que je bâtirai ma fortune...

La loi des Douze Tables qui fonde notre législation est claire à ce sujet, divin César : la mort pour les incendiaires. C'est là leur juste châtiment.

Dans ce cas, nous pouvons agir très vite. Tigellin, où en sommes-nous avec ces juifs que tu entasses dans tes cachots ?

Les cachots demandent à être vidés. Afin de les remplir à nouveau.

Tu oublies que bien des juifs n'appartiennent pas à cette secte qui honore la mémoire du charpentier.

Les chrétiens sont coupables. Pas les juifs (3).

Prendre un charpentier comme dieu. Voilà qui est assez inattendu.

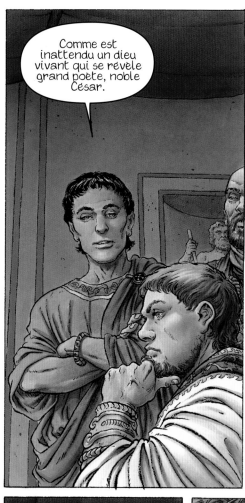

Christianos esse non licet. *
(4)

Je te demande de surseoir ton jugement. Laisse-nous le temps de comprendre ce qui se passe, de trouver la solution la meilleure pour toi, pour tout ce que tu représentes...

Nous prendrons deux jours au temps. Je veux consulter Sénèque avant de me décider. Sa sagesse m'a toujours été précieuse...

Le temps justement presse, César. Le peuple gronde. Ne le laisse pas rugir.

Pétrone, une rencontre avec Sénèque t'intéresse-t-elle ?

Je te suis, noble César.

Je crains que ta position ne devienne intenable si tu continues ainsi à nous défendre.

Je sais.

Mais je me dois d'essayer.

As-tu cette liste que je t'ai demandée, la liste de tes amis, de tes proches ?

La voici.

Comme tu nous l'as suggéré, nous sommes prêts à quitter la ville.

* Il n'est pas permis d'être chrétien.

Je... J'y ai ajouté le nom d'un vieil original, c'est un chrétien, je te préviens... Je crois que tu le connais...

Il se nomme Pierre. Il vient de Galilée, là où vivait ce charpentier dont nous parlions.

Noble César !!

?!

Hola !

Laisse !

Pierre ! Mais... que fais-tu là ?

Je désirais te rencontrer. Je suis très inquiet, tu comprends... Pour mes semblables que tu jettes en prison.

Tu n'as pas de semblables, Pierre. Mais il est vrai que ce n'est pas le moment de me demander quoi que ce soit. Cette fois-ci, je serai dans l'obligation de te refuser... ce qui te semblera juste.

Car tu es un juste.

Un juste qui n'obtient rien n'est qu'un maladroit, César.

Un maladroit ?... Nous le sommes tous en cette heure maudite. Retourne chez toi, Pierre.

12

Quitte cette ville maudite. Oublie-nous. Surtout, préserve-toi, ta parole est précieuse, certains ont besoin de l'entendre.

Et Pierre obtempéra. Il était entré dans Rome par la porta Tiburtina. Il en ressortit par la porta Tiburtina. L'esprit assailli de pensées contradictoires.

Quo vadis, l'ami (5) ?

!!

Ah ! Mais je te reconnais ! Tu es toujours là ?

Je suis revenu... Pour nettoyer la place.

On attend de nouveaux suppliciés ! Et en grand nombre...

Oui... Je suppose que vous ne manquez jamais de victimes...

Cette fois, ce sera différent ! César a décidé de nettoyer Rome d'une secte immonde qui adore un poisson ! Des juifs qui ont subi l'ascendant d'un mage en Judée.

13

Et tu... tu en attends beaucoup ?

Bien plus que d'habitude ! L'empereur veut satisfaire son peuple en lui prouvant que les coupables seront châtiés !

!!

Les coupables ?... Mais de quoi ?

De l'incendie !... D'où sors-tu, vieil homme ?!... Ouvre donc les yeux !

Oui. Tu as raison. Je les fermais sur ma propre lâcheté. Car lâche, je le fus déjà. Et pourtant, il m'a choisi... Je n'ai jamais compris pourquoi. Mais enfin, l'occasion de me racheter m'est peut-être donnée...

Je ne comprends rien à ce que tu dis, l'ami. Bonne chance, en tout cas...

À toi aussi...

Et Pierre rebroussa chemin. L'esprit lavé de toute incertitude.

Ah !

Les dieux de Rome !

14

Moi et d'autres. L'empereur, dans sa grande sagesse, aime s'entourer d'amis compétents.

Ainsi donc, Sénèque, toi aussi, tu penses que je dois répondre aux attentes du peuple...

Donne au peuple du pain et des jeux, il ne se révoltera pas. Donne-lui la peur et l'inconfort, il se baissera pour prendre un pavé au sol.

J'ai tout perdu dans l'incendie. Il ne me reste rien. Ce n'est pas pour autant que je m'abîmerai dans des colères stériles.

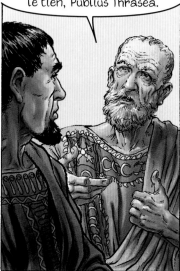

Quand tu dis qu'il ne te reste rien, ce n'est pas tout à fait juste. Il te reste l'honneur d'un homme. Cet honneur qui est le tien, Publius Thrasea.

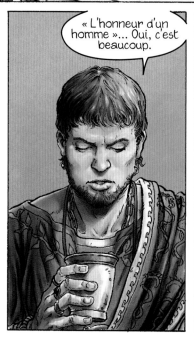

« L'honneur d'un homme »... Oui, c'est beaucoup.

Mais pour César, cela n'est pas suffisant. Un homme peut se contenter de cendres.

Un dieu, lui, ne peut vivre que dans l'or.

L'or... Tu as raison, Pison. Ma nouvelle demeure en sera recouverte. Imagine... Imagine... ce rêve qui est le mien et qui deviendra réalité...

22

Ce rêve qui se construit déjà ! Comme l'ensemble de Rome qui se relève plus glorieuse que jamais ! Je veux de l'« incroyable » ! Des portiques à trois rangées de colonnes sur une longueur de plus de 300 mètres, un lac artificiel, un temple érigé en l'honneur de Claude...

Dans l'imposante cour d'honneur s'élèvera une statue coulée en bronze, le bronze d'Hélios-Roi, dispensateur de chaleur et de lumière, une lumière tournée vers le Forum afin qu'elle puisse y rejeter l'ombre de tout complot...

L'airain, le marbre, l'ivoire envahiront les intérieurs. La voûte du grand triclinium où je recevrai mes invités sera disposée en rotonde, et sa coupole constellée d'étoiles tournera sans interruption, jour et nuit, selon les mouvements du monde, un monde qui obéira enfin à mes caprices !... (6)

La main-d'œuvre dont je dispose actuellement n'y suffira pas. Il faudra vider les prisons afin qu'affluent sur le chantier voleurs et criminels dont la peine sera commuée en travaux forcés...

On viderait les prisons tandis que, d'un autre côté, on y jetterait des chrétiens ! Le mouvement est plaisant... En ce qu'il nous laisse plus de place pour ces derniers...

Descendre... Voilà le mouvement... Il y a un fond à la douleur humaine et je ne connaissais pas ce fond...

Eh ! Mais c'est toi, vieil homme !... Ils t'ont repéré aussi, à ce que je vois !

!!

Tu te souviens de moi ?

Oui. J'ai osé défier ta force, un jour. Mal m'en a pris. Mais comment...?

Comment ?!... Bonne question. Je ne suis même pas juif. Mais je crois au Nazaréen. Il paraît que ça suffit pour se retrouver ici. Je suppose qu'ils vont nous demander de nous rétracter, d'adorer leurs idoles...

Et...?

18

Je crains de les décevoir ! Ma foi est aussi solide que ma main. Et toi ?

Oh, moi... Je suis bien plus lâche... J'ai renié l'évidence autrefois. Par trois fois.

Je suppose qu'il m'est enfin donné de me racheter...

Mais pourquoi tant de haine ?!... Pourquoi s'acharner ainsi ?... Personne ne viendra donc à notre secours...?

Je ne peux pas rester ainsi sans intervenir... Ils ne sont coupables de rien !

Il faut que je revoie Néron... que je lui explique ce qui s'est vraiment passé.

Les sages appuient ta demande. Je vais te la signer, ta maudite ordonnance !

Tiens ! Désormais, les adorateurs du Nazaréen sont à ta merci. Je suppose que tu agiras avec zèle.

Le peuple a cruellement souffert. Il faut qu'il se divertisse...

19

AAAAHHH!!

!!?

HHHHHH...

26

Je...
J'ai eu beaucoup
de chance !

C'est pour
lui que je
venais. Mais
je vois que tu
t'es chargé
de la sale
besogne !

Ça va,
tu peux
marcher ?

Je... Je n'y vois
plus. Con... Conduis-
moi auprès de mon
maître...

Ton maître ?...
Qui est-ce ?

Lu... Lucius
Murena.

!!?

J'ignorais
qu'il fût ton
esclave.

Il ne l'est plus.
Il y a longtemps que
Balba est un homme
libre...

Alors,
il mourra
en homme
libre.

Hélas...

24

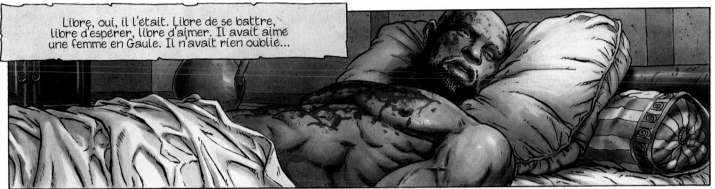

Libre, oui, il l'était. Libre de se battre, libre d'espérer, libre d'aimer. Il avait aimé une femme en Gaule. Il n'avait rien oublié...

Je n'ai rien oublié. Je pense au jeune Britannicus. Je lui suis resté fidèle. J'ai respecté sa mémoire.

Comme je t'ai respecté, toi qui n'avais pas de mépris pour l'esclave.

Tu... Tu dois vivre, Balba. Je me sens tellement seul, parfois...

Seul ?

Je n'y vois plus, mais je sens un parfum accroché à ton corps. Un parfum qui s'est attardé et qui semble te plaire...

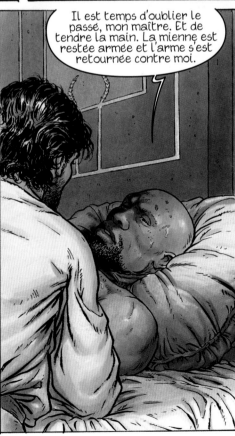

Il est temps d'oublier le passé, mon maître. Et de tendre la main. La mienne est restée armée et l'arme s'est retournée contre moi.

29

Seule la main tendue reste libre.

Voici la mienne, Balba.

Me voici, Massam... Toi aussi, tu as gagné.

C'était chez Soroctos (7)...

Un jour, je te tuerai.

Ce ne sera pas aussi facile que tu le crois...

Sans doute !

30

Il est mort et je n'ai plus personne pour me rattacher à mon passé.

Personne ?...

Et l'empereur ? Il fut le compagnon de ton enfance.

Néron ?!... Tu n'y songes pas ! Il attire la violence ! Je m'y laisserais engloutir à nouveau !

La violence !... Elle ne me fait pas peur, la violence... Si je n'avais su l'affronter, j'aurais péri lorsque je fus emmenée par mes ravisseurs...

Non. Ce qui me fait peur, c'est le renoncement, cette faiblesse qui te ronge, qui t'empêche de voir plus loin, de demander plus...

Tu as chaud, maîtresse. Tu transpires.

Oui. C'est cette chaleur d'avant l'orage.

Demander plus...

Ah ! Il pleut enfin...

31

Viens te rafraîchir !

!!

Elle est belle, ma maîtresse, tu ne trouves pas ?

Même la pluie peut devenir violente !

Enlève ta tunique.

Il n'est pas mal non plus.

Il faut que tu saches...

Je suis comme la pluie !

32

Goûte la
chaleur de
ton sang !

AaaAHHH !

À genoux !

AaaaHHHHHH !

Lucius Murena ?...
Oui... Il est ici.

Je veux
le voir.

Je vais lui
annoncer ta
venue.

Inutile.
Je connais
les lieux.

Il s'est bien
débrouillé, l'ami
Ruffalo. C'est rare,
pour un centurion,
de posséder une
telle villa.

Mais je crois que
sa première épouse
disposait de quelques
biens. Heureusement,
il y a des hommes qui
comprennent à quoi
sert un mariage...

AAAAHHH !

!

Eh bien,
l'on ne perd pas
son temps dans
cette maison !
(8)

Mon beau Lucius...
Je m'inviterais bien
à la fête... Mais je
crains que ce ne
soit pas le moment.
Et puis, je déteste
la pluie.

Il n'empêche ! La jeune Claudia a bien de la chance que son père soit retenu ailleurs !

!!

Mais... c'est...

Pierre, de son vrai nom Simon-Cephas. Tu le connais (9) ?

Je... je crois que...

Nous nous sommes croisés. Souviens-toi, je t'avais bousculé par mégarde...

Et Ruffalo, en cet instant, renia l'homme qui s'était montré providentiel pour sa famille. Car il n'est donné à personne de ne jamais céder aux événements, de ne jamais céder à sa propre lâcheté. Pierre en savait quelque chose...

Je... je m'en souviens, oui.

Je veux que cet homme meure seul, loin des siens, loin du regard de ses adorateurs, cette bande de fanatiques qui pourraient s'exalter à la vue de son supplice...

Et à propos de supplice, te souviens-tu de ce que tu m'avais dit concernant certaines épines qui seraient plantées dans mon cœur ?

L'image me semblait assez juste.

Elle l'est encore, je crois.

35

Et Pierre, à son tour, entama son chemin de croix. La chaleur était intense et l'ombre ne manquait pas de cruauté, qui se retirait sous ses pas... (10)

Mais Pierre n'émit aucune plainte.

C'est ici. Préparez-le.

On coucha Pierre au sol.

On enfonça les clous.

Mais Pierre n'émit aucune plainte.

Avant de redresser la croix, il restait à placer les épines autour de son corps.

36

Mais tes mains sont en sang !!

C'est vrai.

Pourquoi t'étonner ? Rien dans cette ville maudite n'échappe au sang !

Et l'on hissa la croix portant le supplicié aux flancs labourés d'épines...

Mais Pierre n'émit aucune plainte.

Les soldats repartirent. Le centurion resta seul pour veiller sur l'agonie du crucifié.

Sa propre agonie commença alors...

Et Pierre ouvrit enfin la bouche.

Je te plains, centurion. Mais tu survivras.

Et les épines entrèrent dans sa chair.
Et sa bouche s'assécha. Et, lentement,
lentement, la nuit tomba sur Rome...

Alors, des reflets dansèrent
dans les yeux de Pierre.
Juste avant qu'il ne les
ferme à jamais...

De Rome, des flammes nouvelles
montaient. Dans l'esprit
enfiévré du supplicié, elles prirent
leurs justes proportions...

Celles de la douleur,
du sacrifice, de
l'incompréhension...

38

... et des épines.

Dans les gradins, le peuple ne s'est pas amassé en foule pour assister à ce spectacle morbide. Et si certains sont habités d'une excitation morbide...

... d'autres assistent avec pitié au jeu des flammes, à l'agonie des suppliciés (11).

Et de cette pitié, Néron fut saisi également.

Tu ne te montres pas parmi ton peuple, divin César, alors que justice est enfin rendue ?

!!

39

Ah ! Pétrone !... J'aurais dû reconnaître ce ton ironique qui est le tien. Et qui a le don de m'agacer parfois.

Ironique ?... Je ne me permettrais pas d'être ironique devant ces flammes qui apportent encore et toujours de la souffrance...

Tu dis vrai. Ces flammes, j'ai l'impression qu'elles me suivent depuis mon enfance. J'en ressentais même le besoin alors, mais elles étaient chaudes, vives, dansantes.

Tandis qu'à présent...

Froides et injustes, noble César.

Un homme veut te rencontrer. Il prétend que ce ne sont pas les Nazaréens qui ont mis le feu à Rome.

!? Ah ! Et qui est-ce ?

... elles me semblent si froides...

Je viens de lui parler. Il s'agit de Lucius Murena.

Murena !!!!

Tu oses me parler de ce traître !

Ce traître peut se montrer plus fidèle que bien des courtisans qui cachent leurs ambitions sous de belles courbettes.

Au moins, entends-le, noble César. Et s'il ne te convainc pas, quoi qu'il arrive, il se soumettra à ton bon jugement.

Et puis, Trimalchion lançait à chaque fois des modes différentes, celle du jour faisant la joie de ses hôtes. Il s'agissait d'épines, encore et toujours, mais celles-ci se laissaient déguster avec un plaisir évident...

Ces pâtisseries sont délicieuses !

Une pâte d'amande enrobée de miel. Je conseille l'amande. C'est un excellent préventif contre l'ivresse. Il vaut donc mieux en manger en début de repas (12)...

Et cette forme nouvelle, en épine...

Oui. Elle est au goût du jour. Il paraît que les Nazaréens aiment s'en parer !

Et tous de rire. Car on vient chez Trimalchion pour s'amuser et oublier...

Et si c'était un piège ?

Tu as ma parole, Claudia, que Lucius ne risque rien. L'empereur est fatigué, déçu. Il ne repoussera pas l'ami des temps anciens.

Chacun s'est beaucoup agité sans trouver de remèdes à sa souffrance. Je trouverai les mots qui effaceront toute cette haine qui finissait par nous étouffer !

L'impératrice a joué un rôle modérateur auprès de César. Par ailleurs, elle aime les juifs.

Ce que tu diras à leur propos ne pourra que conforter l'empereur dans son envie d'oublier et de pardonner.

Malgré les accusations calomnieuses qui ont terni mon image à la cour ?

Mais tous, nous avons une image ternie auprès de l'empereur. C'est ce qui nous permet de survivre !

Ah ! Je ne te vois pas ainsi. Ton orgueil te pousse trop à briller...

Alors, je tomberai. À moi de rendre ma chute mémorable !

Il faut que la vérité se sache. Je dois y aller.

Je regrette que mon père ne vous accompagne pas...

Ruffalo ?...

44

Il sera auprès de l'empereur ! Voilà qui doit te rassurer !

Où nous rendons-nous, noble César ?

Chez Trimalchion. En toute discrétion, comme tu peux le deviner...

Lucius Murena s'y trouvera. Je veux l'entendre. S'il parvient à me convaincre, tu le laisseras repartir.

!! Et... dans le cas contraire ?

Tu le suivras et tu le frapperas de ta dague jusqu'à ce qu'il tombe mort à tes pieds !

!??

Qu'y a-t-il ? Tu sembles hésitant ?

C'est que... rien ne me paraît simple depuis la mort de Pierre.

Je te comprends.

C'est un homme que je regretterai infiniment...

Mais qu'importe mes regrets ! Personne ne s'y attarde !

45

Réveille-toi, sinistre idiot !

Quoi ? Qu'y a-t-il ?

Il y a que tu vas te rendre chez Trimalchion, sans perdre une seconde. Tu y trouveras un patricien du nom de Lucius Murena. Élimine-le. Cette nuit même. Il y a urgence.

Mais pourquoi...?!

Il veut blanchir les Nazaréens de tout méfait !

Ce qui mettrait un terme à ton fructueux négoce qui consiste à les spolier de leurs terres et autres biens ! Cela te suffit ?!!!

Quoi ?!! Arracher son pain de la bouche d'un honnête citoyen ! Mais... Mais je ne le permettrai pas !!!

Justement ! Trouve-le... et sois sans pitié !

N'aie crainte ! Oublie cet homme !... Car demain, à l'aube, il ne sera plus !

Et ainsi, Lucius Murena accompagné de Pétrone se rendit chez Trimalchion. En cette nuit, il voulut croire en sa chance, en une possible rédemption. Il ignorait encore que le chemin des rédemptions est semé d'épines. Là aussi...

46

GLOSSAIRE
NEUVIÈME PARTIE

1 – Lucius Murena pense probablement à Janus, le dieu à la double face qui marquait
le début et la fin du jour, le passé et l'avenir. Le mois de janvier lui était consacré.
On ouvrait les portes de ses temples lors d'une déclaration de guerre.

2 – Rappelons que c'est lors d'une rixe opposant Massam à Lucius Murena
qu'une torche lancée par ce dernier provoqua les prémices de l'incendie qui devait ravager Rome.

3 – C'est Tacite qui parle de "chrestiani" pour désigner les victimes des persécutions menées par Néron.
Ce terme inédit ne sera vulgarisé que bien plus tard dans le corpus historique
pour désigner les disciples de Jésus-Christ.
Il est bon de rappeler ici que le Livre XV des *Annales* de Tacite, retraçant lesdites persécutions,
ne nous a pas été transmis dans sa version originale, mais sous la forme d'un manuscrit ultérieur,
probablement transcrit par des moines copistes et datant du XIᵉ siècle.

4 – À propos des incendiaires, la loi des Douze Tables qui fondait depuis près de cinq cents ans la législation
romaine voulait qu'ils soient assimilés à des meurtriers et donc punis de la peine de mort. (Robichon.)

5 – "Où vas-tu, l'ami ?"
Les lecteurs d'Henryk Sienkiewicz nous pardonneront cette interprétation libre
d'une des scènes emblématiques de son célèbre *Quo Vadis*.
Pour ce roman, nous conseillons la très belle édition commentée par Claude Aziza aux Belles Lettres.

6 – La Domus Aurea.
La "Maison Dorée" édifiée sur les ruines des anciens magasins de blé.
Elle ne devait jamais être achevée. Il fut question d'ouvrir un nouveau crédit de cinquante millions de sesterces
pour poursuivre les travaux, mais le projet fut abandonné. Trop onéreux.
Mais ce qui fut entrepris demeura longtemps inégalé.
Lorsque Néron vint s'installer dans son nouveau palais, il eut ce mot :
« Je vais enfin être logé comme un homme.»
La notion de simplicité nous échappe parfois.

7 – L'école de Soroctos.
Là où les deux gladiateurs se sont rencontrés.
Soroctos, nous l'apprenons aux lecteurs, est mort pendant l'incendie de Rome.
De ses biens, il ne reste aucune trace.

8 – La sexualité à Rome.
Nous renvoyons nos lecteurs à notre bibliographie pour s'informer sur ce vaste sujet,
propice à bien des fantasmes.
Retenons simplement que le péché n'existe pas dans la culture romaine qui, pour autant, n'est pas exempte
de valeurs morales. (Cyril Dumas, Conservateur du musée Yves Brayer, Les Baux de Provence.)

9 – Pierre.
Simon-Cephas, Simon "le Roc".
Il vient d'une famille de Bethsaïda, ville voisine de la Galilée.
Juif pérégrin (un étranger qui n'a pas la condition du citoyen romain),
il est l'homme des impulsions généreuses que décrivent *Évangiles* et *Actes des Apôtres*.
Se trouvait-il à Rome en ces mois funestes ?
Sa présence réelle lors des événements relatés dans *Murena*
fut longtemps contestée (à l'inverse de Paul de Tarse).
Par Luther particulièrement.
On ne connaît guère l'apostolat de Pierre à Rome.
Mais certains témoignages attestent sa présence pendant ou juste après
la première persécution lancée contre les chrétiens.
Voir l'article "Pierre" dans le *Dictionnaire historique de la Papauté* chez Fayard.
Sous la direction de Philippe Levillain.

10 – Le supplicié devait supporter sur ses épaules la poutre transversale de la croix
pendant tout le chemin menant à sa crucifixion.
Cette poutre appelée "patibulum" pouvait peser jusqu'à 50 kilos et
se fixait sur le poteau principal ("stipes") par une entaille.
Le tout formant alors la fameuse croix en T (croix de Tau).
"Patibulum", mot latin dérivant du terme "patulus" qui signifie "ouvert, large, étendu".
Je dois ces explications à Philippe Delaby.
Rendons à César…

11 – Jusque-là, l'Empire s'était montré assez libéral envers les religions étrangères dont on fêtait le culte à Rome.
Mais en l'occurrence et pour reprendre les mots de Daniel-Rops, « tout se passe comme si l'Empire,
poussé par une sorte d'instinct de défense, désire s'opposer à la foi nouvelle alors même
qu'il est très loin d'en soupçonner la puissance révolutionnaire ».
La remarque est intéressante et reprise dans le *Néron* de Jacques Robichon.

12 – Pignons, amandes, noix, noisettes servent de liant dans les recettes de cuisine.
Dès le deuxième siècle succède à la frugalité primitive le souci de mieux vivre, de mieux manger.
Trois repas par jour se succèdent.
"Jentaculum" (petit-déjeuner pris au réveil),
"prandium" (collation légère vers midi),
"cena", le véritable repas pris au milieu de l'après-midi et qui s'achève à la nuit tombée.
On ne s'étend que pour la "cena".
Minimum 3 convives par table (chiffre des Grâces).
Maximum 9 (chiffre des Muses).
Au-delà de 9 convives, on dresse plusieurs tables.
Notons que pour un Romain, la journée de travail s'arrête à midi.

SOURCES
SEPTIÈME PARTIE

SEXE À ROME. AU-DELÀ DES IDÉES REÇUES
Dossiers d'Archéologie, n° 22

LA FAMILLE DANS LA GRÈCE ANTIQUE ET À ROME
Rousselle, Sissa, Thomas (Éd. Complexe)

NÉRON ET LE MYSTÈRE DES ORIGINES CHRÉTIENNES
Jean-Charles Pichon (Robert Laffont)

LA MORT EN FACE. LE DOSSIER GLADIATEURS
Éric Teyssier (Actes Sud)

LOOKING AT LOVEMAKING
CONSTRUCTIONS OF SEXUALITY IN ROMAN ART
John R. Clarke (University of California Press)

ROME, LA JUDÉE ET LES JUIFS
Mireille Hadas-Lebel (Picard)

LES PLAISIRS À ROME
Jean-Noël Robert (Petite Bibliothèque Payot)